詩誌　天窓

03

illustrated by Kaori Yamamoto

透明感のあるインクのような作品群のかずかずと
主宰の方の姿勢に、何かふっと、雲を見ようかと
（歩きたいな、と）
思わせるひとときを、頂きました。
日頃、全く別分野の職業に在る身として、
芸術（文芸）というものが改めてこういう――、
タイル貼りの美しい路片のようになるのだなと
（天、ではあっても、）
ふさぎこんでいた心がほどける明るさになるようでした

――「Y氏からの手紙」より

目次

詩と作品

十〇

山本薫

（シンデレラの門限）

回転

私の回転が速すぎて、
あなたが追いつけないのでしょうか？

あなたの世界が透徹すぎて、
私が触れられないのでしょうか？

距離が遠くて、
心が届かない？

あなたが過去のトラウマから
バリケードを張っている？

私が経験の無さから
あなたを見失っている？

掴みたいのはやまやまなのに
真夜中　手を伸ばしても
あなたの姿はない

もともとが
遠すぎる性質なのでしょうか？

物理的な距離や
会えない時間はもちろんのこと

あなたは何者をも求めていないのですか？

視線の先が見えなくて、
隣に立ちたくても
足が届かなくて、

今すぐ会いたいのに
深夜１：００

電話もできず
待つ辛抱がつらくて

あなたにもらった
自転車のカタログに手を載せながら、
あなたの焼いてくれた
クラシックのＣＤを聴く

夜が更けてゆき
時計の針が回り

私の心もとなさも
一回転して朝になると

あなたのことを　さっぱりと忘れて
さもすこやかなふうに
階段を降り

あなたの作る
朝食を食べにゆく

ばか

電話していて
会話が噛み合わないときってつらい
お互い黙っていても
一緒にいられたら満ち足りるのに
顔が見えないと
口が

自分勝手な台詞を喋りだす

私のばかばか

ほんとうは
毎晩　名を呼ぶくらいせつないのに
デートの延期を　大丈夫だよなんて
笑顔でいる自分のばか
会えるとわかると
嬉しくて黙って微笑む自分のばか

あのね
私の仕事の進み具合なんて
どうでもいいの

私の予定なんてどうだっていいの

全部　明日からキャンセルして
あなたのもとへ飛んでいったって
大丈夫なくらい
手は打ってあるのに

しなの鉄道のばか
値上げしやがって
２４時間営業にしろ

なんて

ワガママな私のばかばか

月夜

もしもある満月の晩
月よりお迎えがきたら

あなたをこの世に残して
私は月へ還るでしょう

月が自分の軌道を忘れず
あなたのまわりを
ずっとまわっていられるように

もしもある満月の晩
ウサギ野原に雨が降ったら
あなた外に出て
しばらく濡れていてください
それは私の涙
どうか気付いて

もしもある三日月の晩

寂しくて仕方がなくなったら
鏡をのぞいて
自分の瞳を見つめてください

そのなかにいつも
私は居るのだから

もしもある満月の晩
どうしてもお酒を飲みたくなったら

すすき野原にリンゴの甘酢と
デザートワインを供えてください

それで私は真っ赤になって

あなたの前に
うっかり姿を現すでしょう

宝石

アーモンド
ねえ

あなたの影に
手を伸ばしているの

すべり落ちかけた
現実との境で

カバンシの鉱石

同じ本やＣＤ
あなたに教わった万年筆
携帯電話
あなたが座っていた畳

チベットの鈴付き首飾り
そのネクタイの色は

電車やバスの時刻表
書いたきりしまいこんだ無数の手紙

ヘレンドのフォーシーズンズ
ドイツの川灯り
モルトウィスキー
Ｒｏｓｓｉのカード
シルバーアクセサリー

あなたの体温

ねえ

そのリングと
お揃いのリングが欲しい
高価なマリッジなどなくとも
その瞳
その骨格
その空気
その声

あなたという
宝石をください

ねえ

一生大切にするから
一生守りぬくから
一生添い遂げるから

お願い

私の人生の時間をあげます
あなたの人生の時間をください

「土塔」

その塔には、中階段というものがなかった。

外観は、土からニョキリと伸びた筍のような形、その壁は固い土で出来ていて、素人の手びねりの陶芸作品のようなディティールを擁している。裏側、つまり塔の内側も、そのような壁のまま、ところどころにつくられた扉の蝶番の間から、四角い線画のように外光が漏れている。

私は中に入ると、その重力が外とは違った環境となっていることに驚く。中階段というものがないために、たとえば上方のどこかの扉のあかりを見に行こうとすると、下から――床ではない、なにかの空気のような――風圧、のような――力で上方へと押し上げられる。

その塔のエレベータ構造は、内に入る者の思念と関係を持つよう、設計されているようだった。

よく壁を見ると、なにか、階段の名残であろうか？あるいはまじないの図であろうか？段々の図形が描かれていて、それが螺旋のように上空へと向かっている。土壁を引っかいただけでは出来ない、重厚なモザイク様の飾りと、複雑な色と図形——たとえばケルズの書、のような文様——の様相を示していることが、近付くほどに見えてくる。

ただ、私は文様を見に来たのではないから、あまり見入ることに専念するのをやめた。私の目的はひとつ、この塔のどこかに、先人たちがいくつも扉を作ったように、「私」の扉を刻むこと——あわよくば蝶番を立て、あたかも昔からそれら多くの扉と同じように存在したかの如く仕上げることであった。

私は上を見上げた——下のほうは扉と文様で埋め尽くされていて、その辺りに我が扉をつくることがはばかられたからであった——その中空あたり、と思ったときに下方から押し上げられ、あと一メートル付近で目的地、というあたりで足の下の圧力は止まった——見渡すとこの辺りは、ちょうど筍の上から7，8分目といったところであった、天井の柔らかな丸い凹みが見えた、いくつかの、先に設計された扉が存在することがわかった。

右手斜め下方には、今現在扉をつくっている工人の姿があった。彼の足元にはきちんとした足場があり、作業がしやすそうであり、扉もあと数十センチメートル切り込むだけで外観が出来上がりそうに思えた――

左手上空には、すでに出来上がった扉があり、年期を経て切り込みも自然の風でなだらかに風化の兆しを見せているように思えた――それを作った人の存在を、わたしはよく見知っているように思った。

右斜め上空には、少々変わった形の、上がアーチとなっている明るい扉があった。アーチの部分は外界と通じる穴状になって数孔に分かれていた、わたしが手を伸ばして扉を押すと、ばた、と外側に開き、内側から外側に向かって、光を発するようになっていた。

わたしはその扉と、さきほどの工人の扉との中間で、角度を少々左寄りにした二等辺三角形の頂点となる点を基点として、自分の扉を設計することを思い立った、

左辺となる線の場所の目星をつけ、持っている氷割りで刻みを入れた――そして右斜めに文様かつ扉の厚みとなる深い切り子面を刻もうとした、蝶番を左のどの部分にあてがうか、

と考えたところで、全体図が古代的な四角形と成るようにしようと思った、参考資料として日本の古代塗りの重箱のカタログを幾つか手にしていた私は、それを取り出した、

ところで――

仮止めしておいた蝶番が急激な速さで増殖し、あたかも重厚なモザイク様となり、下から風が――思いのほか強く、わたしの足場を崩すような――風が竜巻のように沸き起こり、塔は必要な部分の扉をあけて笛のかわりとなり、悲鳴をあげた――私の存在そのものが塔の一部となり悲鳴を上げるように――。

わたしの古代塗りの四角のカタログは壁の模様となり、重箱の段々をずらして階段様になった、

わたしが途中まで仕上げた切子状の扉の厚みは回転してケルズの書のような造形とひとつになった、

わたしが設計しようとした古代的な四角形は、バンと音を立てて扉となり、内側から外側へと光を放ち、塔全体のふいごのひとつとなった、
わたしの足場はなくなり、
わたしは——筍の周りをとりまく笹の葉のふちの一つ一つにその身を切らせては音を放つ、
永遠なる闇の風のひとりとなった——

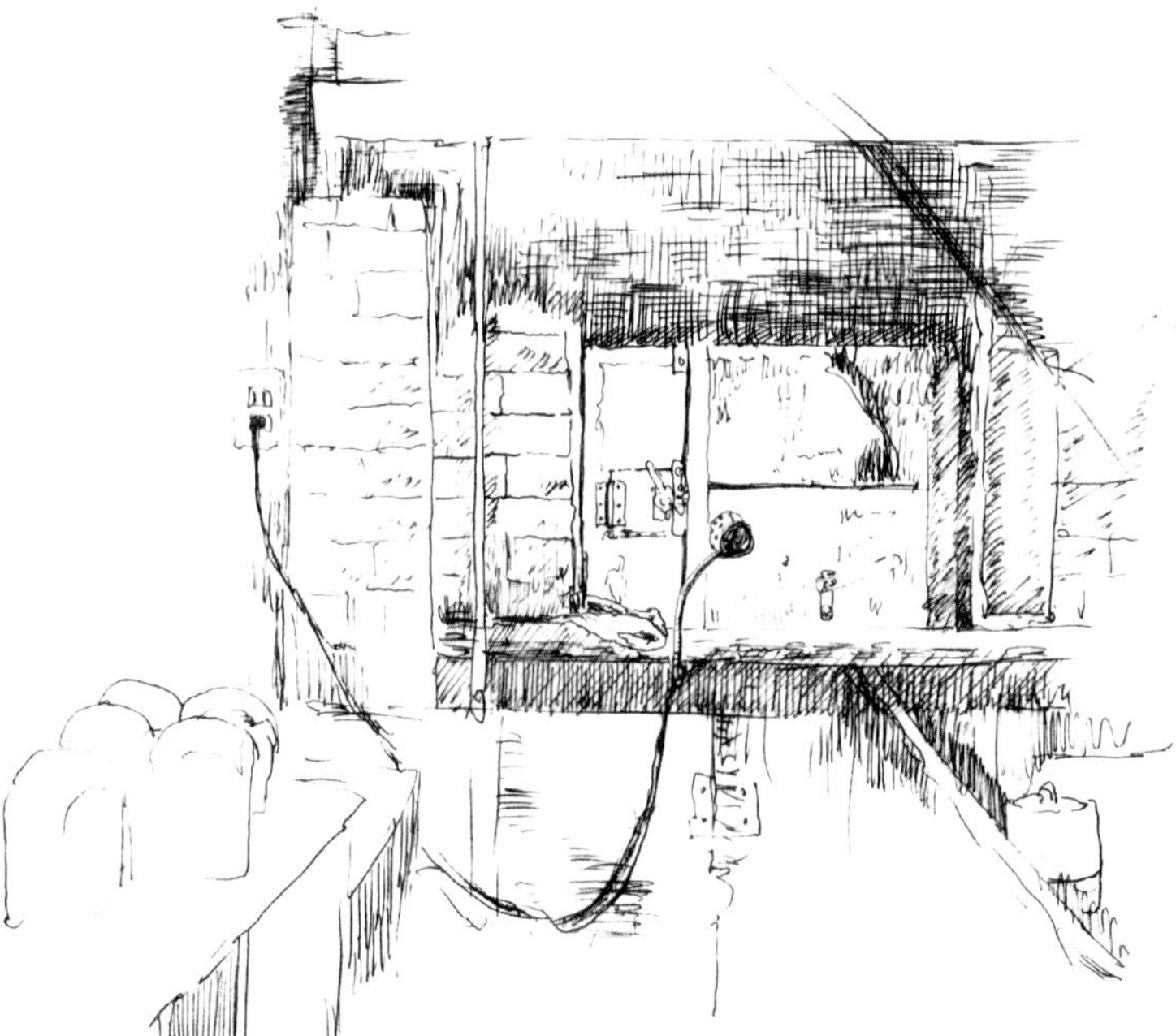

パン皿工房

朝露

なにも怖いものなどないから
運命は　もはや手を下してくれるでしょう、

死ぬべきその朝露の盤に。
死すべきその月夜の晩に。
夜更けのその　漂白の　舟に。

あの世に還るものなど　何もないから
時はすべて変化だけ
うたはみんなが返歌だけ。

玉子焼きふたつ　瞬きの音
川沿いの蛍　朝焼けの萩、

雪の降った晩
あなたがきてくれて
私は天に帰る

あいしてしまってごめんね
だから苦労をされるのに
ヒトだったからごめんね
だからまちがい　よこしまされる

夕餉の旗も　空のにおいも
おしかためても銀にするのに
もしも風も嘆くのなら
笑顔も涙も灰かぶりの猫も

愛してしまってごめんね　みんな
この世のモノなどわたしのじゃない

ひとりの部屋も　息使いも　空気もなみだも　しあわせも
この世のモノなどわたしのじゃない
ごめんね、みんな

灰が空なら　砂だったなら　押し固めても鐵にして
扉になれば　その存在に　自転車みたいに錠をつくって

わらひ

——きみが悔やんだ処方箋
ぼくと居る間の傷つけが
机の蹟（あと）ごとなくなるなんて

なにも知らなかったら
すべてを雑にもできてしまうから

川沿いのコンビニエンス・ストア

片隅のゴミ箱から足下にまとわりついてきた
白い毛ついた　朱いブーツ

泣声が悲しくて、
リンゴ飴食べたかったみたいに
マタタビドーナツ　　砂と餌と詰めて帰った
ありがとうさん　店員さん　　ありがとうさん　父さん　許して

ひっくり返すの
ちゃぶ台じゃなく　猫の君でもなく
飛び降り着地するその丸みなら　過去なら

ペンを握れと促す流し目
うなだれて聴く釣鐘仔猫
おはようさん　御賽銭はclover

つりせん　僕は釣り銭
君の払った誰も知らない仕事の

どうかそばにいて　ぼくと居るとき　君の時間はボーナス
どうかそばにいて　どうかいつも　うちにいて。
笑っておいでよ　わらひ
あしたもわらひ

わらへ　ぜんぶはなして
離さないでも。

ひっくり返すのが
ちゃぶ台じゃなく　猫の君でもなく
四辺形の空なら　その地球（ほし）だったなら。

ごめんね　この世にいられたなら
君のあしたもなみだも拭けたのに
あのときすべて失わなければ素晴しい明日の瑠璃の玉も
ごめんね
この世に素晴しい日々が　あったなら
後の祭りも偲ばず枯れたのに

ひっくり返すのが

ヒマラヤ杉満ちる沫（まつ）傘（かさ）の月なら　この地球（ほし）だったなら？

ごめんね　この世にいられたなら
きみの泣き顔　なみだも拭けたのに
あのときすべて失わなければ　素晴しい明日の瑠璃の玉も
ごめんね…

この世に素晴しい日々が　あったなら
後の祭りも偲ばず枯れたのに

ごめんね・・・

いつまでも　わらひ。

げんきでいて　とびのりして
とじまりしてジャンプして
電気消してゆっくりお休み。
笑っておいで
あしたもわらひ

あしたもおいで　とびのりしてジャンプして　とじまりして電気消してゆっくりお休み。

photograph 詠歌
by　Changeed　Ｆｒｉｄａｙ　lighter

delightful treats loved for all time.　Dear　gently　idea。
友やうとたちきりた窓布 たまきはる 磨きよすがも雲隠れにし

y家　三首

天蓋とふじ山吹のみのかくすなけれ無料のビニル傘なら　アヴギダ・トト

ふりめやも　藤山吹のみめかくし　天窓と和す蓑な拾はば　令法

玉勝間　D　の冒頭すべからくよるべなきみへあはむとぞなる　b.蜆花

『オオツノシカの枕花』

illustrated by

旅の杖　一降り　無料の忘れ傘

ドイツ語にて

ＶＷ地球はわたしのにわ
虹色の飛行船　二人のメルヘン

エアウォーター
そして高圧ガス保安法
さいごに　南、
２かいの別れ。

しじみのダンス
シャーロック

アクアマリン　ピンクオパール。

リ　　はｉする一のため

ホタル

敬愛する物故写真家の作品から絵を熾す
修道院の宗教音楽のコーラスが
側の川音と湍るとき。

蚕が繭を編むように　永遠のシェルターを灯す
孤独と至福の線描が
この世界が
いつまでもいのちへの愛に溢れているために。

時々起きる諍いも
一番身近な愛をくれたものを通して
輪違が慓と教えてくれるだけ

codaはいくつかの
フィボナッチ数列として
因数分解され

英訳も和訳も，
間違ってでも語源へ繋がる，
仏眼相の。

『chorus-coda ー Lanthan』
（trace by 本田信男写真集「子ねこ」より）

詩「おぼえがき」四篇

向後　裕太郎

序文

この度、本詩誌に寄稿するにあたり、四篇の詩を用意した。

この四つは、僕の心の中にある、埃のようなものを掃除するための詩作であり、言うならば「おぼえがき」の詩たちである。

四つの詩はそれぞれの詩が独立するよう、一から四の数字を振っているが、その順序に一切の意味はなく、また相互に関わりあってもいない。あくまでも、ひとつひとつの詩の始まりと終わりを示すための記号である。

ただし一人の人間が生きているうちに、少しずつ心に溜め込んだちうちから出てきたものたちである。何か根底に関係性が見えることもあろうが、僕はそれを意図しているわけではない。

これらは、誰かの目に触れてしまうことを恐れて隠し続けていた、僕の心の中の汚れであり、こうしてそれを外に出すことは、僕の生きた証である。

また、少し掃除すれば、埃はまた溜まるのであろう。

一、

真っ黒い、
あるいは真っ白い
透明の、
あるいは濁った
　永遠の、

　　時

一片《ひとひら》の刹那に、
　無限の三次元空間に、
　　二次元の裏表に、

始まりの鐘が

ごおん

と一回、

静かに、

ながく、

鳴り響いた。

すべての記憶は、風になった。

すべての名前は、音になった。
すべての善悪は、一つの、
　　ちっぽけな丸い苔になった。

そして新しい、
真っ黒い、
あるいは真っ白い、
透明の、
あるいは濁った、

　すべての心に

　　一つ一つ、

命が与えられる。
魂の火が灯される。

また鐘が鳴るまでの間。

二、

こつこつこつ、音が鳴る
人の歩く、音が鳴る
こつこつこつ、音が鳴る
鳥が木を打つ、音が鳴る
こつこつこつ、音が鳴る
時計の進む、音が鳴る

ぱっとあるとき、音が止む

世界が真っ白に変わる
ずっと長い時が経つ

とても長い時が経つ
こつこつこつ、また音が鳴る

三、

天使は、緑の丘に住んでいます。
夢の香りのする花が咲く、小さな丘に、住んでいます。
天使は、雨が嫌いです。
雨の日は、飛ぶことができないから。
雨の日は、おひさまの光を浴びられないから。

晴れた日はどこまでも飛ぶことができるのに。
晴れた日がずっと続けばいいのに。
晴れた日が続けば続くほど、
雨は強く降る。
曇りの日の次の日も、

雨が降る。
雨が止んで、晴れたと思ったら、
すぐに雨が降る。

だからきっと、

雨は悪魔が降らしているに違いない。

四、

ママ、
ぼく、こんなにおおきくなったよ
ママ、
みて、ほら、すごいでしょ
ママ、
ねえ、
うん
そうなの
やったあ
ぼく、うれしい
ママ、

こんどは、もっとすごいよ
ママ、
たのしみにしてて
ママ、
おうえんしてて
ママ、
ママ、
ママ、

春

山上　泰輝

君は豊洲の海に沈む夕陽の写真を送ってくれた。僕にはそれが、「好き」という意味を持つことに気付くまで少し、時間がかかった。君は、誰にでも夕陽の写真を送るようなことをしないことも理解するし、夕陽が好きだと発した僕を想っての行動にも理解する。むしろそこに「愛」が育まれていると思う。夕陽を送る相手というのは、特別な存在であるべきだし、不特定多数の人に君が夕陽の写真を送っていると想像するだけで、嫌気がさしてしまう。それくらい、夕陽とは僕にとって特別で、君が僕に夕陽の写真を送ってくれるという行為自体が尊く、愛に溢れている。僕は君に朝日の写真を送る。君が朝日を好きだと発したあの日から、僕は苦手な早起きを試みている。君には言えないが、休みの日はなるべく早く布団から抜け出し、空を見上げて、写真を一枚撮る。全て、これらの行動は君を想ってから始めたもので、いや、気付いたら始めていたもので、太陽が東から登るように、あたかも僕の体の習慣に染み付いていたかのように当たり前の日常となっている。君に朝日を今日も送る。君は夕陽を今日も送る。これらの行動に「好きだから」という理由以外で、行われる他の理由があるだろうか。「好き」という言葉を行動に表してみるとたくさんの表現方法があると思う。僕は君が送ってくれる夕陽の写真を眺めながら、タバコを燻らせる。その時間に、愛が心の底から芽生え、君を想うことで愛が成長し、君に愛を返したくなる。僕は夕陽に対して特別な感情がある。一日の終わりを告げる夕陽には特別な何かが含まれていると感じる。夕陽が沈む瞬間、水平線に沈む直前の太陽は、海に飲み込まれ、丸い球体がボヤけ始める。その瞬間を目にすることで、僕は今日を生きたと自分を慰めれ、太陽と水平線の間に吸い込まれそうな感覚になる。その瞬間、一点を見つめ続ける僕の心は、水面に反射する橙色の夕陽に照らされる。その光景を君にも見て欲しいと心から願う。太陽は実際に動いていることを目視できる。当たり前のように存在する太陽は、今日も君を照らす。「一日の始まりが好きだから」と発した君を包み込み、「一日の終わりが好きだから」と発した僕を受け入れる。僕は君と朝日を共に包み、夕陽を共に受け入れる。君は前に、水族館のクラゲの動画も送ってくれた。携帯画面いっぱいに広がるクラゲは僕たちの関係のように、行き先も分からず波に揉まれて、漂っている。君は一人で水族館に赴いた。けれども、僕に君の幸せを共有してくれる。クラゲが漂っていること。ペンギンがプカプカ浮いていること。

それらの君の目の前で現実世界として認識している世界を僕に共有してくれていることが、僕にとっての愛かもしれない。君は水族館の動画を送ってくれる。僕は目の前に咲く蕾の桜を送り返す。目の前の現実世界を画面を通して共有する。そこに愛が生まれる。君が送ってくれた写真や動画、君の見ている世界を僕に見せてくれることを「好き」という愛情表現に気付くまでに少し時間がかかる僕だけれど、僕は君の世界に起きている現実も含めて、君を今日も愛する。僕は今日も君に、朝日を送る。写真ではなく、本当の朝日を、君に。

蒼い頃

杏

彷徨

寒い　寒くない　まだ春ではない春に　未熟な塊でいる
錯覚や曖昧さは　何とも　何度も　何とも
少しだけ過去を　思い出しては　懐かしんだり
当てもなく入ったコンビニで　炭酸片手に彷徨い続ける
シュワッと頼むよ　奥まで眠る　期待して

エンドレス

思考は無限　行きたい場所へ行けるでしょ
スパークする瞬間に　今日も生きた　和食はうまい
蕾が膨らむ季節に　風に吹かれて　スキップしよう
それでも時折　無邪気な言葉に溺れそう
どうか自分の位置を　見失わないで

story of a restaurant around 1976

藤原ヨシタミ

episode1 ／フリッパーに弾かれる

些細なことで親と口論をしたボクは、十六才の夏に家を飛び出した。そして大阪駅構内にある大きなレストランで調理師見習いとして働き始めた。それは食べることに困らないだろうという安易な考えからだ。職場には地方から出てきた若者が多く、様々な方言が交錯していた。

当時の厨房はすごく閉鎖的で封建的。いつも慌しくて混沌としていた。交わされる言葉も極めて少なく「おい！」「あれ！」「それ！」で済む。対処出来ずにいると「アホ！」「ボケ！」「カス！」で終わり。時折りゲンコツが飛んでくる。コンプライアンスなどという言葉がなかった時代だ。

料理出しは手速さが求められるので、説明しながらでは間に合わない。各セクションごとタイミングを合わせるため、必然的に行動に即した言葉使いになる。最初は理不尽な事ばかりで戸惑っていたけれど、編み出される料理は、どの皿も凄く美味しそうなものばかりで、毎日心が躍った。

こうして、少し早く大人の世界へ足を踏み入れたボクは、このレストランで濃密な時間を過ごすことになる。それはまるで、ピンボールのプレイフィールドの上で弾かれるボールの様に、めまぐるしく過ぎてゆく時間だった。思えば、掛け替えのない時間だったし、確かに食べる事には困らなかった。

episode2／坂木さんの癖

その日のレストランは異常なほど忙しくて、とても寒い日だった。店内は一般客の他に、スキーに向かう若者達で溢れかえっていた。スキー人口が非常に増えた時代である。番号札と引き換えに預けられたスキー板は、カーテンで仕切られたクロークの中で、山のように積まれていた。

「いらっしゃいやせっ！」

寿司カウンターの中から威勢よく坂木さんが声をかける。器用に艶かしい手つきで寿司を握る。

その所作は正しく職人の技である。一重の切長の眼と鼻筋が通った端正な顔立ちは、とてもクールに映る。「6番さんへあがり一丁！」そしてサービス係へアイコンタクト。隙がない。

閉店間際になっても客足は一向に途絶えず、店内は出卓を急かす客や精算を急ぐ客、トイレには列をなしていて、まさに極まった状況にあった。誰もが休む暇もなく慌しく働く中で、突然一人の客が騒ぎ出した。預けて置いたスキー板が無くなったという。坂木さんの姿がなかった。

見た目とは裏腹に坂木さんには厄介な癖があった。自身の出来事の記憶がすっぽりと抜け落ちて、現実感のないまま行動に及ぶ精神疾患。盗癖である。皆が探すと従業員トイレの中で、スキー板を抱えた坂木さんがいた。

episode3／ムーンライト

熊谷さんは、誰に対しても丁寧語で話しかける。寿司コーナーで働いているが、元はプロボクサーだったらしい。休憩中はいつも何やら読書に耽っている。穏やかな表情で静かに本を読んでいる。西洋料理部のボクは、時折、熊谷さんに魚の捌き方を教えてもらったりもした。

午後の仕事を終えて、事務所の仮眠室で休んでいた時のこと。当直の八木さんが困った顔で「調理場で熊ちゃんが酔って暴れてるらしいねん。お前連れて帰ってきてくれ」と、面倒くさそうに半ば命令口調で言ってきた。「なんでやねん」と心の中で呟きながら、同僚のユキオを連れて渋々向かった。何せ相手は元プロボクサーである。

ビール瓶や割れたグラスが散乱したホールで、熊谷さんは上半身を壁に預けて座り込み、眠っているようだった。恐る恐る近づきながら、ボクは静かに「事務所に帰って休みましょう」と言った。熊谷さんは素直に応じてくれたので、少し安心した。いつもは穏やかな熊谷さんに何があったのだろう。理由はわからない。

両脇を抱えながら事務所へ帰る途中、空を見上げると雲ひとつなく、幾つもの星と一緒に月が綺麗に浮かんでいた。ボクは沈んだ空気を追払うように、わざと戯けて「月がキレイや」と呟いた。するとユキオは山陰訛りで「田舎はこんなもんやないで」と、勝ち誇ったように返してきた。熊谷さんも月を見ていた。

そんな夜

千住　旭

照明が点くやいなや
鮮やかに注がれる自動《オート》ロウリュ
忽ち過酷な湿度が来襲する

〝室温は変わりませんが
体感温度が急激に上昇しますので
ご注意ください〟

愛のあふれたメッセージが
今日も微かにリフレイン

熱の塊を受けて
水風呂に潜んだのち
露天へと

身体をあずけるに相応しい
アディロンダックチェアはまさに玉座だ

向かいのダイエーの看板がひときわ輝いて見える
そんな夜もある

何も詳らかにしなくて良いのだと思える
そんな夜が

クレスト松戸にて

雨場

南田偵一
なんだ ていいち

雨が集まる場所を、
雨場という。

雨、暖簾の手の甲に触れる、斜度十一パーセントの冷気、息を吐く。貫くよりも集合し、蒸発する夏と冬の混在、雨、よく馴染んで集まっている。雨、拾ってきたばかりの、泥水をビニル袋に詰め込んで、本物だと差し出した。透明の宙、空気を震わす。雨、肩先で跳ねても音ひとつ立てない。レインコートを羽織るのは、実感を呼び起こすためだ、雨。最近では、土の下から湧き上がる雨は、東と西の憧憬を汲み取る。雨、並行になって進むうちに、握らされる次の時間、重なる時間、追い越された時間がある。雨は、横殴りを絶頂に、淡い声を発する時もある。雨、肩を組んで、横に振れば、邪険に無表情で去ってゆく。追わない方がいい。階段が先にあるから、雨、よく重なり合って、寄り過ぎてゆく一筋の轍、土踏まずに柔らかい。
雨、掬い上げて、口元に寄せる。とくとく、と鳴る喉奥に、新たな霧雨が催す。雨、清冽な小川を、潮の混ざった海を、腹を痛めた裂傷が均されないままに、靴跡だけが刻まれる。拭うのは透明の水、初めて音を耳が通ってゆく。雨が劈く。雨が降ってくる。雨が話しかけてくる。雨は葉に擦れ、溜息と共に発した匂いを、時を折る。賑やかな辻に立つ電信柱の陰で、雨が屯していた。雨、もう夕方になるとスマートフォンだけが教えてくれる。身を撫でる風、真っ先に指先が膨れてゆく。喉の渇き、身体の乾き、水溜まりを拵える街は、雨も随分と気を許している。雨、軽やかに生温かい気体を、袱紗に包んで、か細い歩調。内股のスキーゲレンデには、想像の羽が付いている。仰げば灰色に紛れて、雪と背を合わせている雨の舌打ちが密かに聞こえる。

雨、針葉樹の楼閣に、瞠った睫毛の痛みを知った。何も怒らない、無言の扉のノックはよく通っている。雨、傘に集う粒を掻き集め、鮮度の高い海を創ろうと身を転がして。傘を打つ音に伸ばされた掌、滲む過去の血脈から、雨。洗面器を、鉢植えを、雨場は足の踏み場がない。顔が笑んでいる。底から湧いている、雨。新聞紙に載っている雨、言葉の浮揚に、傘を差す。雨、躲す奥義の厚い書の一頁を象った。雨、ピースサインの頬の赤み。針を通す片目の、睫毛の震え、挨拶の声が内に籠る、雨。

雨、点在の街を縫い合わす。裾のない身内を晒し、浴雨のタイマーが刻む時の調べ。雨、毛孔をこじ開けて、モノクロームの思い出写真を透き通す。雨、変わらないままに、むくりと立つ横断歩道の青い人、赤い人。傘を差す人の群れを見たいがために最前列へと割り込む。雨、帰ってゆく背が丸い。雨、煙るつもりなど、一寸もなかった。雨、渦巻いている。指先同士を合わせて、蹲っている。

雨、落ちてゆく葉の腰に手を添えて、整列を促す。作り笑いが下手な角度で収まる写真。雨、雫の鉄砲玉を弾いてやる。雨、滑らかな邂逅、雨、脳天から咲く花のカタログを捲っている。街の鼾が一瞬、止んだ。雨、流れてゆくラジオのスピーカー、雨の輪舞曲の中央に熾る冷度が一度ずつ上昇する。擦っても音を立てない、雨。


ここの雨場。

暮らしていると、確かめ合いたいばかりではない。

デスマスク

長谷川 美緒

わたしの敵は時間である。時間が流れているとき、わたしはもとの形を保つことができない。時間が動くと名前が生まれ、名前を遂行するため、わたしは再び仮面をつける。外に出る。わたしは形容されながら（花とか蝶とか太陽とか）、ひとつの場所にはとどまらない。わたしはわたしを刻みこむ。点々と、金太郎飴の断面のように同じものがある。わたしは存在する。その断面にだけ。目に見えない。とまっている。とまっている。静物画。

舞踏会に出ておきながら動かずにいることは許されない。

絵を眺めて歩く人たちはわたしがいることに気づかない。

黒い画用紙を切る。ばらまく。影がいくつも生まれる。たのしくなって、笑ってしまう、あ、はは、は。あはははは。風が起こり、ふくらむ。星の全体を席巻する。わたしはどこにもいない。くすぐられた子供みたいに声をあげる。あ、きゃきゃ、は。

すこしずつ減速し、着地する。もとの場所へ。かつて舞踏会場だったホールに音楽はかからず、人が訪れることもない。仮面を取る。

浮浪者が一人、酒瓶を横に置き、崩れかけた壁ぎわで眠っている。

とりとあへるうた　他一編

礼《れい》水《すい》梳《き》

ははの背中を追い越してごめんね

たとえどんなにせまくても
たとえばこひに堕ちたりして

たとえばどんなくらやみだって
きいっとあへるあへる
きみつの

ありがとうっていふよりも
ごめんねっていうはたやすい
ありがとうっていうことばの

なさけなさより
きみのひみつの

ひげねこ先生　どうか推しへて
しろのせなかは
きみのひみつの
明日のお天気
心のやさき
君の先生　どうかおしえて
あすのおてんき　ひげのせんせい
ここはお医者か

はれか　雨か
明日は曇りか　はれか　あめか
かねはいくつか
電話　なるか
川はいくつも　筋の道先
鹿の灯台

はれかあめかお金はあるのか？
はれか　あめか　おかねあるのか

地下は灯台
しか的鯛
河のみちさき　しわのよせがき

しかもとうだい　かわのみちよせ
もとへもとれは　かわもとうだい

蛍いらよ
ほたるこへたら
蛍いるよ　てだけとべたら

とりとあへるうた

ごめんねって
イフはまたでも
つらいかなしみ　それでそのまま
どうしようって　ことはたやすい

クリスマスローズ
ここロジなら5月に咲く
咲くならぼたん　つぼめるは芍薬
ユリの羽は伸ばさぬのがいい

ゆりね　うこん　精進　ごはん
もちきび　おにくがわりのヒエ
茗荷は　忘るるかさむさ
こまっちゃう　灰色のしとね
すしだねは　いつもたくあん

納豆ごはんはすてきなおたね
壺のお庭は　梅の宝石

とって歌すき黄色いせりふ
青の宝石　庭石のそこ
鏡に映る　みずのフレフレ

かぜのようせい
おとはすべしり

こわだかの蛹　蘭たんのひ

電信柱　もては金鉱
五線譜に　なりてるか　そそ
三拍子　5拍子誤表示
七音半符は
トリの歌声

（バイオリン、木苺）

かわぞい　蕨の華あそこに届いて
こどものこロジン
うたごえひびいて

建築詩　八丁堀風景

齋藤　圭介

東京市に神はゐまさん

雨ふれば沼となり、風吹けば沙漠となる
この都さへ楽園と人は思ふよ。
ペンキ塗の會堂より讃美歌ひゞき、
ここになほ神はゐますと告げしらす。
さなり、さなり、かくも悲しきところゆえ
神はゐまさん。神は悲哀を餌となせば。

——生田春月

序詩

ロンシャンの礼拝堂

少なくとも町史年鑑には
大々的に載るであろう
記録的な烈風であった

木の葉一枚のためにも
自然は容赦なく表皮を剥がして
そして静かな夜に閉ざされた木戸は
何か恐ろしい魔物のために
ふるえているような音を立てていた

ああ、懐かしく、ちかちかと
田舎の貧しい灯をひとつ揺らして
それは常に足元を浚う
記憶の星空のための手筈

それでも白亜の翳は蒼然としている
緑なす丘はその色味なくとも
まるで古典の楽園のように起伏する
図面は区間する
木造のクロスさえ

そのキリストの御足の曲折さえ
幾つかの数字であらわされる

巡礼者の家に人影は通い
どこの国でもない
何の宗主も仰がない
鉛の匂いの敬虔な群れをつくる

（さてそれは、或る日の大学構内の建築模型
　記憶の中に教会が建つように――
東京なんてもとはそんなものだ
　いちめん水はけの悪い、べたべたの葦の原だ）

八丁堀風景

一

地下鉄三番出口から青空が見えた
もう一度つくりなおそうと思った
四月の街は燦々としていた
夢のように新しいものの中に
より古いものたちをかくしながら
街は雁首を回して振り返った
透明な煙を立てながら旗を振った

二

君知るや非常階段の
窓、窓、窓、トタン、錆鉄、赤屋根
郷愁のバルコン、一幕劇にこそならないが

見よ、その古色の舞台を、過ぎ去るものこそ雀躍する
昭和屋上物干台劇場幕見席の舞台裏を

三

東京の瓦屋根の
洗いざらした物干し竿だ
わたしの心なぐさむものは
たいていはそのような
おいてけぼりの風景だ
ビルの間に存在を低くして
あたたかなビル風なんかと一緒に
荒れ果ては鉢植えなんかと一緒に
鉄柵の屋上からのぞきこむ
東京の瓦屋根の
洗いざらした物干し竿だ

四

中央区立旧京華小学校の廃校舎では
つなぎをきたシルバーワーカーたちが
今日も緑色の帽子をかぶって
中庭の木の下のベンチに集まっている
日影があり、ある者は座り、ある者は立ち
昼休みの小学生の一団とも変わらず
かたわらにはピンク色の花が群れ咲き
尊徳像のまわりには緑草生い茂り
あとはトラックの中央に噴水でもあれば
まるで古代の遺跡かとも思われ
それは新しい都会の楽園を見るようであった

五

椅子はないか
ひととき腰をかけ読書の叶うような
椅子はないか
ひととき腰をかけ読書の叶うような

六

小気味良く古くさい石壁のビルがある
八丁堀風景である

砂漠のように言葉の地平のなにもないところから
なんでもない言葉が見つかったりするのはいつでもこんな風景の中からだ
小さな虫かと思えばそれは印刷された頁数であったときのように

一枚の紙に鳩を象るその余りの白い縁取りが近くにありすぎるために
あるいはわれわれは利口であるためにそれが飛び立ったとは思うことのない
つねに開かれた窓としての意味のように

七

電飾は都会風景の中の星座であり
もっとも小さな祝祭の単位のひとつである

その不規則を問い正そうとしても糠に釘かもしれないが
それでもその立場にこそ意味があるのだ

伝達
装飾
演出
政治　それら変遷　玻璃風景

橋上にて

うまれたてのようにあけはなたれた孤独だ
おれと電飾だけの会話だ

——以下、鞄の中の黒いメモ帳の中より

『夜景詩集』

夜半、林檎を剥きながら
男は思う、ひとりみについて
それから詩について

しかしその果実を齧る頃には
忘れているだろう、どちらも
それからいま無作法に床に置かれた
鞘付きの小刀のことさえ

川面にうつるひかりをながめながら
貧しさに出せぬ詩集の言葉を抱える
うまれたてのようにあけはなたれた孤独だ
おれと電飾だけの会話だ

ほどへて川を越える

独学

独逸語の夜は長い
わが単語集は
まだ日没さえ迎えない

川面に花火
羊の群れ
牛乳をこぼした
夜

挿絵画家の逃亡

売れない詩人
路地裏と窓灯り
それから貧しい月
それだけそろえば
もうおれのものである

あるいはそれは一枚の
売れない詩集の木版のためにある

暗闇

ここらへん一帯の
誰のものでもない暗闇が
おれは好きである

（外灯だけが散点する）

長距離運転手たちのためにも夜通し営業しているあの三色の電光看板さえ
詩的に見えるものである

幼児の絵画

意図的にはもう取り戻せない過去の粒子の中にある懐かしい階段
その階段は学校か、もしくはお役所か、あの日は、街のお祭りであったか
若い母は着飾り、手を引かれて、ちいさなからだは、その建築物に入っていった
（もちろんそれすらも定かでもないのだが、車内に満ちていた淡い化粧品の匂い）

その階段は深い暗がりを作りながら、いまでも自分の中にある
たまに車窓から見える、コンクリートかモルタルの名もなき階段である
どこかの市内の、その市内の、どこかに
余りにも晴れやかな日であったために焼き付けられた
通り過ぎてしまうかもしれない、いまも気づかずに、それはある
似たようなものはいくらでもあるが、似たようなものではまるで解決しない

霊巌島由緒碑

詩の言葉で、ゆうゆうと詩をつむいで、それが一流書物のつもりで、現世的な詩人の肩書きを持つくらいならば、詩人以外のものに身を落として、それでとうとう詩の言葉を掴むことで、来世の詩人を期待せよと肩を叩かれた、風。電飾で彩らた月桂冠は、よく見ると朽ちはじめてきている。それればかりではない。いかにも滑稽である。電飾の中から新しい月桂冠を、現れない詩人として存えて、その書物にこそ詩人の名を与えよ。そんな言葉があふれ出て消えた夜に、例えば路上のこげ茶色と、肌色の石畳が入れ替わったとて、この街が変わるということがあろうか。だれも気が付きもしないだろうし、それで世界が変わりもしないだろう。しかし、おそらく、気が付くということだけが、都会に棲む詩的人格者の使命でなのである。語彙から逃げるな。立ち向かえ。遠くに、漁火。あれはアルミニウムほどの啓示。こういう存在にこそ、言葉、蹲い、挑みたかったのだ。言い表すという行為。詩は、何を怠ったかといえば、この語りの人格なのではないか。遠くに、漁火。

月夜のらいぶはうす　――親愛なるO・Y氏に――

こんな日は、月夜のらいぶはうすだ
(八丁堀をのまちをぬけて、ようやくたどりついたのだ)
あるいは、たどりつけなかったかもしれない
　こんな日は、月夜のらいぶはうすだ
(弦が、かきならされた、わたしが、かきならした)
こんな日は、月夜のらいぶはすすだ

ななはり縫えば、傷はおさまる
そのうちに痛みは悼み、音楽、川を渡るために
海を渡るために、こんな日は、月夜のらいぶはうすだ

Tennmado

連載

詩人と打ち合わせは可能か　第三回

天窓という詩の場所に誘われて、詩を書けるわけでもない自分が自分の専門性の中に詩はあるかしらと自省して、身勝手にもこれは詩なのではないかと考えている行為を取り出した。何か間違いが起きることに期待して、架空の演出家を架空の空間に現して動かしてみる。本当は僕だって詩人になりたかったと思っている。

黒田瑞仁（舞台演出家）

G

同じ店内。演出家はテーブルの上のコーヒーカップの中を軽く見やって話を続ける。その間、前を向いているが、何かを思い出している時のように目の焦点は合っていない。

演出家　ハンマスホイの絵が、ピアニストが担当するワンシーンのイメージに据えられました。この絵が、私とピアニストにとって特別な言葉、つまりは擬似的な詩になった。つまり一番大事なことを向こうが決めてくれたので、そうするともうあとは具体的に作るだけになる。イメージがその絵に決まった時点で、相手がシーンを受け持つ中で一番大事な仕事は終わりました。私もその詩というか、絵を相手に出してもらって、私も了解したことで、その打ち合わせ相手になったのが自分がそのシーンで請け負う一番クリエイティブな部分になります。具体的に作るというのは、あとは分担するということですね。その人は自分でピアノを演奏することにしたので、ピアノの曲を探してもらう。私は役者と稽古をする。次の打ち合わせはどんな曲を選んだか教えてもらって、こっちは俳優の演技や空間の使い方の提案を聞いてもらう。初めてのことだったので正直、悩みましたが、方針が決まってるので気は楽というか、勿論苦しむんですけど、楽なんですよね。演出は英語でDirectorで、direction、つまり方針を決めるのがディレクターなのでそれは終わっている。絵は俳優にも共有しました。曲も演奏も演技もそのハンマスホイになっているか、なっていないかを考えればよかったし、そこでピアニストと意見が食い違うことは多分なかったと思います。向こうは演技を判断するのに苦労してました。

ト、短く息を継ぎ、相手の言葉が挟まる前にまた喋ろうとする。

演出家　もう迷わないならそこから先は創作と言えるか、という問題はあると思いますけど、アイディアや目標が立った後に苦しむのだって、ちゃんとした生みの苦しみだというか、恐らくそうですね。手を動かして、物を触っている中でキーワードを閃く人もいると思いますけど、私は違う、というか、演出家は何もさわれないので。

両手を軽く掲げて、降参のポーズをする。

演出家　演出家は何も物を作らないというか、喋るだけ。体は必要ないので。打ち合わせさえできたらいいというか。稽古はやってることは少し違いますけど、演出家は見て、聞いて、喋ったらオーケーなので。

間

演出家　いいシーンでしたよ。お客さんから人気ありましたよ。まー、ピアノの生音があったからそれが強いのかもしれないですが、印象深いシーンになりましたけど、お客さんはハンマスホイが裏にあるなんて分かる人はいない。別にそれが見せたいわけじゃないし。それでそうやって演出家は俳優に演技はやってもらって、衣装家に衣装を作ってもらって、アイディアも他人に出してもらいました。その公演は。だから打ち合わせがうまくいけば。何もしなくていい。ずるい人なんですけど、演出が一見何もしなくてずるい方が、多分うまく行ってる現場ですね。ははは。はあ。

H

演出家　だから、だからかわからないですけど、演出家って作品をなんて言われても傷つかないんですよね。作ってる間に苦しさはあるんですけど、できちゃったら傷つかない。もちろん人間としてなら傷つくとか、あるんですけど。でも。作品を通じて傷つかないというか。例えばいくら自分が演出した作品を気に入らないって人がいたとしても、別に平気というか。まあなんでそんな文句言うんだろうとか、観客に伝わらなかった自分の力不足を恥じるとか、コイツの感性どうなってんだって思っても、傷ついてない。自分は。みんなが気にするかな。とか、評判落ちちゃうかなあみたいなことは気にしても、自分は傷ついてない気がします。なんていうか、傷ついてる人っているじゃないですか。ものを作る人の中には。これは偏見なんですけど、もう偏見ばっかり言ってるので、続けるんですけど、例えば小説家とか、画家とか、たぶんあの人たちは傷ついてるんですよね。知り合いに何人かいるんですけど、話してると、ああこの人は作ったものに何か言われるのを嫌ったり、避けたりしてる。傷つくからだろうってわかるんです。最初はその人がそういう人なんだと思ったり、そういう人が、そういう表現を選ぶんだろう。って思ってたんですけど、多分、もともとあんまり傷つかないタイプの人でも、小説とか絵を描いてると、やっぱり傷つくんでしょうね。たぶん劇作家も傷つくと思います。なんででしょうね。物語かな。物語を書くというか、描くというか、そういうことをする人は、作品を何かされると本当に傷ついてしまうんでしょう。

ト、窓の外に目線を逸らす。

演出家　俳優は・・・俳優は大変な仕事だし、ボロボロになるようなことをしてると思いますけど、これとは違う気がします。身一つで大勢の観客の前に立って、場合によっちゃ、厳しい目線に晒されるわけですけど、あれは外側からダメージを受けてる。でも彼らには彼らにしかない鎧もあるので。まあ勿論、誰にだってプライドはありますけどね、みんな。演出家なんて何か言われて怒ってる人はいっぱいいますけど、あれはプライドの問題で、政治家ですから。いわば。自分の外側で事を起こすのが仕事なので。傷つかないことを請け負ってるのかもしれないですね。俳優とか、劇作家とか、あとは観客の代わりに。周りに働きかけて、何か起これば良いというか。何か醸成されれば手柄になる。それしかできない。だから、自分の外で物事を起こすというか、良く言えば、人間と人間のあいだとか、集団の真ん中にある、というかその集団を作り出すのもきっと仕事なんですけど。コミュニケーションみたいなね。チープな言葉ですけど。

I

演出家　でもさー。

自分の言葉に驚き、観客ではなく目の前にいるであろう一人の話し相手を気にして焦るが、話を続ける。

演出家　あー。すいません。その・・・詩人は、でも、傷つかないですよね、多分。詩人は。詩人。詩人か。なんかちょっと詩人ってカッコよすぎるな。そんな人いるのかな本当に。まあいるんだろうけど。なんていうか、職業じゃなくて存在というか。詩人は、もう歩いているだけで良いというか。そんなわけないですかね。ええと。詩を書く人は、というかつまり、詩という表現はなんだか、傷つかない気がするんですよね。なんでだろうな。自分が書いたことがあるからとかそういう訳じゃなくて、これは読む側の感覚ですね。詩を読んでてもそれを書いた人がいないというか、ものによっては書いた人の匂いに包まれるみたいなのもありますけど。まあとにかく、詩は誰がどんな言葉で貶しても、そこにはもう傷つく人はいないというか。自分は詩人でもないのに勝手なこと言ってますけど。なんでしょうね。

目の前にいるはずの誰かが答えることを期待するように、前をじっと見る。

演出家　なんでだろうなあ。思うんですけど、詩はもう傷ついてるからかもしれないですね。もう傷つくのが済んでるんじゃないかという気がしますね。書いた時点で、もう終わってるんじゃないですか。実際にはそう簡単でもないかもしれませんけど、作者と作品が本当に切り離されているというか。もう辿る糸もなくなっているくらいのものもありそうですね。まあその、これは私の詩への憧れなのかもしれないですけど。はあ。違いますかね。あ、いや。そうですね。なんでしたっけ。傷つく話か。他に詩と同じように傷つかない表現もあるのかもしれませんが、どうなんでしょうね。彫刻とか、版画とか。音楽なんかは全然わからないな。そういう意味では、劇作家は。戯曲に詩があることは私は大事だと思っていますけど、そんなに切り離せるものではないんでしょうね。あとは衣装家というか、服飾の人は、私の仲間だという気がします。あれは他人に着せるからなんですかね。コミュニケーションを念頭に置いて作っているから。そうすると、自分が着ることが表現になっている人の方が傷つきそうですよね。

J

演出家

詩人は、詩が歩いている姿なのかもしれないですね。もはや人ではなく、精霊のような目に見えない存在というか。吟遊詩人とか、道化とか、ああいうものに憧れるんですよね。僕。もう言葉そのもので体が構成されている伝説の生き物のような人々。そうか。そうすると、音楽の人の中にはこういう詩人や道化と同じような、エレメントで構成されただけの人がいそうですね。

少し上ずった様子で、上機嫌だが落ち着きがなくしばらくは何も喋らない。しかし本人にとっては間が持たないということはないようで、この時間は必要なだけ続く。

K

これまで想定されていた窓の位置からすると、ありえない方角から光が室内に差し込んでいる。それは西日を思わせるが、直接差し込んだ光か、外のビルに反射して差し込んだ光か定かでない。演出家は段々と話したことで疲れてきているようだが、切り上げる様子はない。しかし、話し相手としての見えない誰か一人に気を使う体力は尽きてきたようで、近くには対象を定めずに自分の語りを進めていく。

演出家　私は信頼のおける人、あるいは信頼の置きどころをまだ掴めない人たちと打ち合わせをして、劇場や会場を選び、アイディアを集め、他人が書いた戯曲を読み込んで、未だ執り行われていない上演で観客が受ける感銘を想像します。その感動を俳優に稽古場で伝え、その仮定に仮定を重ねた先にあるものを目撃した、会ったことすらない誰かが受ける感銘を指さして、そこに必ず何かがあるかのように堂々と演者と関係者たちに声をかけながら進んでいきます。存在していない山を隆起させながら、その山を登るためにチームの指揮を執ります。そこには何一つ私の内側から生じたものはありません。すべて私の外部にすでにあるもの、あるはずのものを組み合わせているだけです。多分実際の詩と違うのは、演劇は社会とか、世間みたいな自分を含む湿った表現だということで、演劇の要素を詩でいうところの言葉みたいな風に考えて構成しているつもりなんですけど。

間

演出家　どうなんですか。どうなんでしょうね。

L

演出家　すみません。店を変えましょうか。

演出家はもぞもぞとポケットを探りながら立ち上がり、相手の様子を伺い、忘れ物を確認し、出口を探すためにあたりを見回す。だんだんと照明が暗くなるが、落ちきらない薄明かりの中、演出家退場。演出家はすぐに再登場し、舞台上に戻ってくるが信号待ちをするように立ったまま、少し手持ちぶさたに周囲を見回している。必要であればこの間に舞台転換を行う。

【続く】

テレアポ代行という仕事について⑵

メディチ後藤スカイ

私がこの仕事のことを「賎業」と呼んでからほとんど一年が経った。その間、高円寺の劇場でシェイクスピアの芝居に出たり、劇団に入ったり、トラブルの末そこを退団したり、といった出来事があった。演劇に携わりたい者としては躍進の一年だったかもしれないが、結局今はフリーの役者に戻ってしまったかたちになる。

そうして過ごす間も、私はＳ社のコールセンターで営業電話をかけて日銭を稼いでいた。この一年の間に所属するチームが変わり、担当する案件も変わった。扱う商品が変わり、売り方が変わった。一年前よりも、この仕事をしていて辛く感じる時間は少なくなった。私がこの仕事に慣れた、とかではないと思う。単純に、以前とは仕事そのものが変わったといってもいいのだから。

今の時給は1500円。去年の今頃からは300円上がった計算になる。私の営業成績が良いからインセンティブでこうなっている、というわけではない。私が今所属しているチームでは、事務やシステム周りを管理できる人材が足りていなかった。それを担当している社員が辞めてしまったためである。会社はその埋め合わせを、正社員ではなくバイトの私に求めた。私はそれを引き受けることを条件として、今の待遇を得た。一時期、私はこの会社を去ることを考えていたし、その気配は上司に伝わっていただろうから、私が抜けるのを阻止しようという意図がそこにあったのかもしれない。

私がこの仕事を「賎業」と表現した頃、ちょうど一年ほど前、私は当時所属していたチームのリーダーと揉めていた。リーダーは正社員で、私より年上の男性、正確な年齢は知らない。営業畑出身と聞いていた。揉めていたというほどのことではないかもしれない。ただ、仕事のやり方についてどうしても分かりあえなかった。私はその後、別のチーム、今所属しているチームに配置換えになった。揉めていたせいだろうと今でも思う。

当時売っていた商品について。詳細は明かせないが、それはあるウェブサービスであった。それを開発している会社からの依頼があり、私が所属するS社はテレアポ代行を請けていた。その仕事がうちのチームに回ってきたのだ。

いつものとおり、企業のリストを開いて上から順番に電話をかけていった。電話に出てくれた受付の人に告げる。

「わたくし株式会社○○の××と申します、かくかくしかじかで、マーケティングの担当の方いらっしゃいますか」

「いま打ち合わせで不在にしております」

本当に不在のこともあるが、大抵は方便である。この仕事をしていて思うことだが、営業電話の断り方に多様性というものは無い。

「かしこまりました、お戻りはいつ頃でしょう」

「すみません、分かりかねます」

「かしこまりました、では急ぎではないのでまた改めますね」

終話、切電。これをずっと繰り返す。たまに優しい受付がいて、担当者に繋いでくれる。それはどこかの部署の責任者であったりする。そこでも選別があって、たいていは「うちには要らないかな」と断られる。ごく稀に需要と供給が合致する(ように見える)瞬間があって、商談の日取りが決まる。アポが取れる確率は、案件にもよるが、確かこのときは100件電話して2件取れるか取れないか。


私はこの仕事を釣りとか漁に近いものと考えている。魚と対面したときの釣り人の実力も大事だが、それよりもはるかに重要なのは、どこでいつ釣り糸を垂れるか、どういった魚を狙うか、といった作戦を練る力である。リストの片っ端から電話しまくって口八丁を展開するよりも、この商品を欲しがるのはどういう相手か考え、需要がありそうなところに限定して電話をしたほうが効率は良くなる。「戦局を左右するのは戦術ではなく戦略」というアニメや漫画で使い古された文言があるが、これは割と真理であると思う。電話をする前段階である程度結果は見えている。

このウェブサービスを売るチームには、アポインターが私含め４人ほどいて、一日に上がるアポイントは１件か２件が関の山だった。このペースでは目標達成できそうになかった。私は、今の売り方をあらためため、作戦を練り直すべきだとリーダーに提案した。「戦術ではなく戦略」の話もした。個々人の実力如何ではひっくり返せない状況になっているのだから、ターゲットを変えるなりなんなりするべきである。そもそも、リストが悪すぎる。明らかに、この商品を欲しているような層ではない企業が多く含まれている。仮にアポイントが取れて商談まで進んだとしても、受注に繋がらないかもしれない。受注に繋がらなければ、我々にテレアポ代行を依頼した企業としては「ここに依頼してもカスみたいな商談を持ってこられるだけでコストの無駄だな」と判断するだろうし、すぐに取引をやめてしまうだろう。

こういった話をしたところ、リーダーは自分が若いころの話を始めた。彼は、営業の世界に入ってすぐのころ、某有名バーコード決済アプリの案件を担当するチームに入れられた。

そのときは電話ではなく訪問をする「飛び込み」をやらされることになり、アプリを導入しませんか、と担当地域の商店を徒歩で回ったそうだ。問題は、その担当地域がクソ田舎であったことで、リストにはご老人が経営する個人商店などが多く含まれ、挙句なぜか寺院まで入っていたらしい。賽銭をバーコード決済で受け付けている寺は今日どれくらいあるのだろう。

彼はその話をして、「俺もそういうクソみたいなリストで、これでどうしろってんだよと思ってたよ」「でもそれでも頑張って契約取ってくるんだよ」と語っていた。つまりは自説の強化のために体験談を持ち出したわけだが、私としては、「それは大変でしたね」という共感がまずあって、すぐに「で、それがなんなんだ」という疑いがそれを追い越していった。我々は寺にPayPayだのLINE Payだのを売りつけるような難行を繰り返している場合ではないのだから、そこは売り込み先を変えるとか、具体的な行動に移らないといけない。だが、彼はそこで何一つ妥当な解決策を提示できないのである。結局、彼のマインドとしては「戦略ではなく戦術」であって、個々人がもっと上手い具合にトークを展開すればアポは取れる、という理屈というか信念がそこに存在するのである。っていうか今考えたらそのアプリがサービス開始したの2018年くらいだからそこまで昔の話でもないじゃないか、なんか若いころの苦労話みたいに言ってたけど。

言葉は通じるけど話が通じないなぁ、という諦めのようなものを感じていた。リーダーもそんな私の様子を見て、「メディチさんとしては、やっぱりちょっと、この仕事をするのは、違うってことじゃないですかね」と言った。「違う」。「向いてない」とか「辞めたほうがいい」とかではなく「違う」である。とても多くの意味を包み込むワードだ。

私と仲が良かった同僚が辞めることになって、私も転職を考えて他社の面接を色々と受けているころ（他のテレアポ代行会社を探していたが、このときもかなり渋くて嫌な時間を過ごした。いずれ記すかもしれない）、今のチームに移ってくれという辞令があった。

今のチームに移ったのが昨年の7月頃のこと。そこからは同じ案件をずっと続けている。その間も何度か辞めようかと思うことがあったが、結局今は落ち着いてしまって、少なくともこの案件の契約が切れる今夏までは続けてしまうかもしれない。この文章の続きを書く頃には辞めていることも有り得るが、どうだろう。

【『テレアポ代行という仕事について(3)』に続く】

窓の文学史

室生犀星『愛の詩集』より

未完成の詩の一つ

赤赤しい夕焼
そのしたにぎつしりつまつた街と家家
それを見てゐるとつかれてくる
そこからなにが映つてくるか
そこから自分の心にしみ亘つてくる
夕ぐれどきのもの売のこゑごゑ
あはれな時雨のにほひにまざつた

いろいろな生活のこゑごゑ
窓にもたれて自分はそれをきいてゐる

この苦痛の前に額づく

よごれた寝台から起き上ると
自分は窓をあけて
よい空気をとり入れた
夜は暗くじめじめした雨になつて
塔の姿はすみのやうに黒ずんでゐた
かれは紙のやうなうすい肉躰を

痛痛しさうに身じまひした
麻のやうにほそい腕や
燐寸《マッチ》の棒のやうな手足やを
自分は苛酷な目付で眺めた
そのやせた胸から骨がすいて見えた
自分はあらしのやうな恥しさを感じた
自分は寝台から飛び下りて
かれのきたない靴を接吻した
自分は床に身を投げて
充ち亘る感動に震へてゐた
かれは呆れたやうに自分を眺めた
自分は彼女の中に
澄んだ　きれいな性質を見た

自分らの有てないやうな善良な
それは（人のいい神のやうな）文字通りなものを見たのであつた
人がよすぎると
こんな汚ない恥さらしな
自分の身を切売することになるのであつた
自分はまじまじと永い間かれを眺めて
胸をさし上つてくる
座に堪へられない涙をかんじた
自分は窓の方の暗いとこに立つて
じめじめしたこの界隈の屋根を眺めてゐた
彼女は心配さうに
私のうしろから
私にいろいろ話しかけた

ああ　このくらやみの小路に
まだ健全な魂の存在してゐることを
自分はどうして信じなかつたのだらう

美しい晩にかいた詩

私のこの温かい室
燃えるとだんだんに匂ふ
美しい蝋燭のあかりで
私は貧しく飢えかつゑて歩いた
ある寒い冬の夜のことを考へた
あの晩どの街を歩いても

どの人家の窓も楽しく明るかつた
そこには熱い茶や
美しい楽しい若やいだ生活が
晴れやかに営まれてゐるやうだつた
ああして静かな灯で勉強をしたら
そこで書かれることは
どんなに光のあることかと流涙した
僕には永久あんな明るい室や
夜の団欒や
またしんとした平和が与へられないのかと思つた
ひと晩でよいから
ああいふ幸福をなめて見たいと思つて
寒さに凍えながら歩いた日のことを考へてゐた

おお　そして時が経つて
僕は美しい室に今は座つてゐた
立派な更紗や織物があり
本があり
また快よい幸福が訪づれてゐた
おお　私は勉強する

燭の下に人あり、本を読めり

本を読んでゐると又雨が降り出した
毎晩のやうに重い雨戸が
閉《とざ》した窓を叩いてゐる

濡れてしめつたそととは反対に
僕の室では一本の蝋燭がともれ
立派な美しい垂れとしほとを見せたカーテンを下ろし
カーテンの裾のはうに卓があり
僕は感涙しながら本をよんでゐる
この恐ろしい物語りの中に
世にもやさしい一人の女性がゐて
人をあやめた不幸な男のために
声たかくヨハネ伝をよんで聞かしてゐる
頭《かうべ》を垂れた男の魂と
不遇な彼女の魂とはつれ立つて
今平和なすすりなきをしてゐる
ここまで読んで僕はふいと耳を立てた

ああ　とぎれとぎれな雨のふる中で
だいぶ虫の啼く声が減つたやうだ
おとろへはてたあの声
毎夜のごとくかれらの美しい声により
また慰さめられて本を読み
そしてゐる間にもう肌さむい頃になつた
誰人とも会はず
清明な孤独に住み込んで
おお　もう秋おそい頃になつたのであつた
自分は再た窓をとざして
しづかな雨をきいて
悲しい書物のペエジを剪りはじめた

室生犀星の『愛の詩集』より、「窓」の語彙のある詩を四つ引いた。序文には北原白秋、跋文には萩原朔太郎という、面々。

この詩集には、「窓」の語彙がいま一つある（検索機能は便利なものだ）。それが白秋の序文より――「君の詩の生ひたちを私は仮りに三期に分つ。『朱欒《ザムボア》』の抒情小曲その他はさしづめ栗の若木の新芽である。それは雋鋭で、極めて感傷的であつた。而も新らしい叡智の瞳はその芽の心《しん》に既に幽かに光つてゐた。その驚異。□第二期は君として最も奔放な慾念と良心との混乱時代であつた。萩原君は之を指して色情狂的情調、或は凶暴的無智と云ふ。（中略）酒に酔つて人を殴打《たた》き、女の足を拝み、夜赤い四角の窓を仰いでは淫獣の如く電線を伝つて忍び込んだのも君だ、幻覚中の君であつた。かくして君の白い両掌は常に生生しい鮮血の粘りを滴たらしてゐた……」云々。

愛と言う。言えてしまう。しかしそのひとことにたどりつくには、詩人であればこそ血の滲む過程を経る。あらゆるうつくしい窓は、都度、様相を変える。―

—仮に窓のひとことをたどっているだけのはなしだが、たまにはそんな窓枠を付けてみても良いはず。愛というとりとめもないものを切り取るためにも。

抒情詩人。きれいなもの、透明なものからはじまった詩業。けれどもこの詩人の愛は、詩は、ただたんにきれいで透明なものを志向していたわけでもなかっただろう。この詩人はどのようを詩を愛し、詩人を愛し、また愛の詩を書いたのか。詩人自身の言葉を、最後に引く。これは詩人の心中を覗き見るためのの、ひとつの窓としても。——「詩は詩であっても文学は泥くさいほど美しい、泥のついていない詩や文学はご免蒙りたいものである。巨大豪放の透明感というもの、清純高潔の生き方というものを最後まで持ちつづけたかれも、時々、その反対の生き方を強いられてくると、口ごもりながら、これは何とかしなければならんと何度もムカシ好んで着た紺絣で質素と朴訥の風采を愛しようともがくのだ。」——「我が愛する詩人の伝記」より、高村光太郎に際しての言葉。

改めてこの四つの詩に戻ったときに、それら窓から、どんな景色が見えるだろう。

※青空文庫より引用

底本：「抒情小曲集・愛の詩集」講談社文芸文庫、講談社
1995（平成7）年11月10日第1刷発行
底本の親本：「愛の詩集」感情詩社
1918（大正7）年1月

璞《あらたま》　文庫

その二　『瑪瑙』

——春光や瑪瑙を刻む刀のさき　会津八一
——冬没日瑪瑙の中に富士は凍て　永井龍男

裸形

智恵子の裸形をわたくしは恋ふ。
つつましくて満ちてゐて
星宿のやうに森厳で
山脈のやうに波うつて

いつでもうすいミストがかかり、
その造型の瑪瑙質に
奥の知れないつやがあつた。

——高村光太郎「智恵子抄」より

かすかに光る火山塊の一つの面
オリオンは幻怪《げんくわい》
月のまはりは熟した瑪瑙と葡萄
あくびと月光の動転

——宮沢賢治『春と修羅』「東岩手火山」より

盲目の鴉

うすももいろの瑪瑙の香炉から
あやしくみなぎるけむりはたちのぼり、
かすかに迷ふ茶色の蛾は
そこに白い腹をみせてたふれ死ぬ。
秋はかうしてわたしたちの胸のなかへ
おともないとむらひのやうにやつてきた。

――大手拓次「藍色の蟇」より

ややあれば黒鐵《くろがね》の戸の
隙《ひま》すきて物こそ見ゆれ、
立ちつくす女人二人《をみなごふたり》
細腕《ほそかひな》あげて、此時
そぞろかに、誘《さそ》はれよれば、
こは昔、宴樂《うたげ》のゆふべ、
霞焚《た》きし瑪瑙の香爐《かうろ》。

――蒲原有明『春鳥集』「遺曲」より

水晶などにしても、近頃は智利《チリ》から沢山輸入されるが、日本の水晶に比べると、智利のはあまりきれいに透きとおり過ぎている。昔からある甲州産の水晶と云うものは、透明の中にも、全体にほんのりとした曇りがあって、もっと重々しい感じがするし、草入り水晶などと云って、奥の方に不透明な固形物の混入しているのを、寧ろわれ〳〵は喜ぶのである。ガラスでさえも、支那人の手に成った乾隆グラスと云うものは、ガラスと云うよりも玉《ぎょく》か瑪瑙に近いではないか。玻璃を製造する術は早くから東洋にも知られていながら、それが西洋のように発達せずに終り、陶器の方が進歩したのは、よほどわれ〳〵の国民性に関係する所があるに違いない。われ〳〵は一概に光るものが嫌いと云う訳ではないが、浅く冴えたものよりも、沈んだ翳りのあるものを好む。それは天然の石であろうと、人工の器物であろうと、必ず時代のつやを連想させるような、濁りを帯びた光りなのである。

――谷崎潤一郎『陰翳礼讃』より

ふじ子と私とは、秋がくるとすぐに黄葉がちになった公園の桜の並木の、よく掃かれた道路を歩いて行った。水いろのうすい単衣の上から、繊《ほそ》い彼女の頸が、小さい頭をささえて、それがまるで瑪瑙のように透いて見えた。

——室生犀星「或る少女の死まで」より

六月の陽が照りはえた。ま新しい冠木門《かぶきもん》の柱にさげた標札には、大きな字で開拓使と書き出されている。墨痕《ぼっこん》あざやかにのびのびと書かれた文字であった。右手には馬繋ぎ場も出来ている。飼料を入れる秣《まぐさ》の櫃《ひつ》には松やにがこびりついて瑪瑙色に光っていた。

——本庄陸男「石狩川」より

七、千万年前の沼

洞窟は進むにつれて広くなった。
朱や白や代赭《たいしゃ》や紫黒の、さまざまな熔岩流の層が、瑪瑙のような美しい縞目を見せ、その底を重油の流れのような黒い河が、のたりのたりと動いている。それが、安全燈の光の加減で、紫がかった紺青《ウルトラマリン》になったり、深藍《インディゴ》になったり、黒紺《ブリュウブラック》になったり、眼もあやに変化する。

——久生十蘭「地底獣国」より

曙町より（十四）

三越新館に熱帯魚の展覧会があった。水を入れたガラス函がいくつも並んでいる。底に少しばかり砂を入れていろいろ藻が植えてある。よく見ると小さな魚がその藻草の林間を逍遥している。瑪瑙で作ったような三分ぐらいの魚もある。

――寺田寅彦「柿の種」より

お茶屋のボンボリの仄白い光の中から、芝居小屋にかかげられた幟の列を俯瞰する。そこから中座の筋むかい、雁治郎飴の銀杏返しに結った娘さんから、一鑵《かん》、ゆいわたを締めつけるように買ってきた包のなかから、古典の都市がちらちら介在する。

芝居裏の二枚看板、ちゃちなぽん引にうっかりつれこまれようとして、あわてて羽織芸妓の裾のもとをかいくぐって、食傷路地に出てくると、鶴源の板前が瑪瑙色に塗った魚類の食楽地獄だ。立並んだ軽便ホテルの裏街から、ホテルの硝子戸ごしに見える、アカダマの楼上のムーラン・ルージュが風をはらんでいる。

反対に宗右衛門町では、弦歌のなかで、河合屋芸妓の踏む床の足音がチャルストンの音律となり、はり半のすっぽんの霊に幻怪な世界を展開している。

私は西道頓堀の縁切路地の附近にある、古典書にまじって、横文字のマルクス経済学書もあろうと思われる、古本大学の淫書の書架の前に立っていた。

——吉行エイスケ「大阪万華鏡」より

夜半の土蔵に這入つた三人はほの〲とした提灯の火に照らされて、低い天井の下に突立つたが、何が嫌疑にかゝる書類もがなと、用箪笥の抽斗や、縛りつけた行李の中などを調べはじめた。さうして、暁方《あけかた》やつと三人は赤い眼をして土蔵から出て来た。その日も昨日と同じに雪が降りつづき、銀世界と化した街に、この家ばかりはじめ〲と後暗い雰囲気に閉ぢ込められ、底知れぬ恐れと不安に充たされてゐた。勿論誰もろくに口を利くものもなく、砂をかむやうな朝の食事をしてゐるところへ、どや〲と人声がして、数人の役人が這入つて来たのである。

「みんな、この部屋にかたまつてゐるんだ、勝手に出ちやいかんぞ！」

横柄に云つて、家族は全部女中にいたるまで、一室に閉ぢこめられ、一人の役人が入口に立つた。それから母に案内されて、二三人はぞろ〲と土蔵に行つた。短かい冬の日はぢき午後になり、暮れ方になると、土蔵の中へ提灯がいくつも運ばれた。

餓ゑと寒さにふるへたみよ子たちは、夕方になつてやつと解放された。土蔵の石段の前に、一人の役人が雪をかぶつてのつそりと突つ立ち、網戸をもれて提灯の火が高く、或は低く床を這ふ光景を、みよ子は内廊下に忍びよつて、こつそり見てゐた。提灯の灯影が雪をとほして、瑪瑙のやうに美しく、ぽう、ぽう、とかすんで見えた。

——小寺菊子「父の帰宅」より

その二　瑪瑙　menou

非常に細かい石英の集まりだそうである。縞状の模様が、まずは特徴か。着色もできるようで、よって加工品の材料にもなりやすい。しかし、それが言葉である場合には、重みがちがうようである。画数の多さもあって、全体で眺めたときにも、惹かれやすい。前後がぼやけるような気もする。これは迂闊に手を出せない語彙かもしれない。

それでもこうして並べてみると、いびつながらも同心円状に、さまざまに輝く。しかしその輝きは、大谷崎の言葉を借りれば、「沈んだ翳り」であり、「濁りを帯びた光り」である。鉱物であるために、生命感はない。あるいはその生命感は、固まっているのである。光太郎の思う智恵子の肌も、寅彦の見た熱帯魚も、それらはもう、固まっている。

それでも活字というもので生き物の捉えようとすればこそ、こういう技もきっと必要である。おそらく有名であると思うが、最後に夏目漱石の「文鳥」の一文を、以下に引く――菫ほどな小さい人が、黄金の槌で瑪瑙の碁石でもつづけ様に敲いているような気がする。――

文鳥が餌を啄む音を喩えたところである。――嘴の色を見ると紫を薄く混ぜた紅のようである。その紅がしだいに流れて、粟をつつく口尖の辺は白い。象牙を半透明にした白さである。

——と続く。

小さな生き物を捉えるには豪勢と思われる語彙ででも、やはり職人の手にかかれば、立派な芸術品でる。固まっている。それでいて、生き生きとしている。瑪瑙細工の模様のように、つくりものでありながら、いのちを感じさせる。

主宰者あとがき

創刊より参加くださっているみなさまに加え、今号から寄稿者が増え、主宰としては非常なる喜び。画の彩りも新しい試み（印刷費の問題でモノクロになってしまいましたが）。この天窓は設えそのままに、幾つもの部屋、それら可能性の芽生えを感じつつ、編集いたしました。詩や文章は個人的なものであるからこそ尊く、こうして仕切りのない空間でひとつになればこそ、また違った採光も得られるのではないかとも思いつつ。ご寄稿くださいましたみなさまに、改めて厚く御礼申し上げます。

主宰　齋藤

profile

山本薫　（やまもと かおり）
WHO 神戸センター第三回グローバルイメージコンテスト銅賞
雑誌ほか印刷物等イラスト、design 請負
短歌・川柳
令和５年度発行　長野県文化芸術振興計画表紙

向後裕太郎　（こうご ゆうたろう）
平成十五年茨城県に生まれ、千葉県で育つ。
早稲田大学文学部在学中。
都会のアスファルトから咲く春紫苑
船頭のいない渡し舟
サーカスの道化師
養殖のシイラカンス

山上泰輝　（やまじょう たいき）
ドドドドドドギンチョマル。今日も１日。人に優しく自分にもっと優しく。健康第一。五体満足。晴耕雨読。蟹穴主義。永遠回帰。満 26 歳都内フリーター。今、今日を積み重ねて毎日を生き、明日も考えられない日々だけど、振り返ればこれでよかったんだと自分を肯定してあげれるよ！大丈夫！毎日きらめきスパークで生きてるよー！

杏　（あんず）
大阪府出身 26 歳。グラフィックデザイナー。愛読書はブルーノムナーリの「ファンタジア」、町田康。

藤原ヨシタミ　（ふじわら よしたみ）
大阪府　会社員　趣味はオートバイでソロツーリング　現在、絵画制作に奮闘中

千住旭　（せんじゅ あきら）
東京都出身。
未刊行創作集『万華《よろずばな》』より詩作を寄稿。
お金にならない創作活動を細々と続けていきたいと願っている。
最近、おそらくあと数十年は残されているであろう健康寿命について考えることも。

南田偵一　（なんだ ていいち）
東京都出身。出版社パブリック・ブレイン代表。主に詩作。著書『文壇バー風紋青春記 何歳からでも読める太宰治』（未知谷、2023 年）。2024 年秋にドキュメンタリー詩誌「詩あ」を商業出版として創刊予定。

長谷川美緒　（はせがわ みお）
新潟県出身、在住。1985 年生まれ。早稲田大学文学研究科現代文芸コース修了。第一詩集『稼働する人形』（七月堂、インカレポエトリ叢書Ⅴ、2020 年）。ネットサーファー。

礼水柝　(れい すいき)
猿田彦、木花咲耶姫を祀る神社氏子の末裔 (旧姓 : 玉川)、高麗人の祖先
化粧品・薬・陶芸関係の仕事人
趣味 : 温泉と笛、街歩き・リュートの練習

黒田瑞仁　（くろだ みずひと）
舞台演出家。1988 年生。シェイクスピア等の古典戯曲を民家や工場など、国内外各地の歴史的建造物を中心に上演している。また、建築や音楽、小説など他ジャンルの創作者との共作を多く手がける。

メディチ後藤スカイ　（めでぃち ごとう すかい）
役者をやっています。たまに「雪の日は静か」というコンビで漫才やコントをしています。
ツイッター：@MediciGotoSky

齋藤圭介　（さいとう けいすけ）
本誌主宰者。福島県生まれ。
早大独文卒。他に京都市立芸術大学聴講生、早稲田芸術学校夜間生、ボン大学短期留学など。卒論は詩人生田春月の再評価。在学中に同級生らと文芸同人誌『新奇蹟』を創刊。詩集に『処女詩集　海』（虹色社、2021 年）がある。

Tennmado

二〇二四年秋、次号発行ノ予定。

新規原稿等、引キ続キ、募集ス。

言葉ト光ノ、海底通信ヲスル。

詩ト、生活ヲ、見上ゲル。

詩誌　天窓

海底通信社

告知

「詩誌天窓」提携双紙

黄金郷時代

— 令和六年・秋 —

新宿ゴォルデン街へ行け
若し君が、黄金を求めるならば

〈暗号的〉配布場所
新宿黄金街三番町半ば路地曲がる赤扉上がる二階のバー

詩誌　天窓 03

2024 年 5 月 15 日　第一刷

天窓編集室

編集／組版　　　齋藤圭介
企画　　　　　　海底通信社

発行者　山口和男
発行／印刷／製本　虹色社
〒 169-0071
新宿区戸塚町 1-102-5　江原ビル 1 階
電話　03(6302)1240

ISBN 978-4-909045-65-2
Printed in Japan